JN016315

ダスビダーニャ

西巻真

2019.7.5　Mami

明眸社

ダスビダーニャ

目次

目次

謹んで、祖母と父の墓前に献ず

ダスビダーニャ

こゑ

あの感覚を説明するのは難しい。ただうつすらと闇は引きをり
だだ。だだ。だだ。と呟く詩人を思ひゐて雨だれのなか目を閉ぢてをり

言葉とふものをしづかに撫づるらむ。ぽろぽろにうむああぽろにうむ
のつそりと口を開けたる老人がさびしい蜜を垂らしてゐるぞ
あはあはと首相のど・も・る・こ・ゑを聞き総崩れなる夏を待たれよ

まがひもののやうなる風に吹かれゐてわたしは風の名前を知らない

水仙の葉

六月の緑まばゆく群れゐるを忌みつつ祖母は戸を開きたり

うつむいて生きてきたのか　楡の木になりたる祖母の背(せな)を愛しむ

晩年を未だ知らざるわれなれば水仙の葉を手折りてゆかな

帰り来たりて祖母はまどろむ　夕闇に鎮静薬はかすかに溶けて

子の夢を見たのか　祖母は真夜中に薊のごとき声を上げたり

われもまた眠りにつかむ葦原に滅びし家の夢を見るため

父を追ふ夢を見しのち紫陽花の白くあふるる庭に出でたり

渇水期

竹の根もとみな深々と刺さりゐる山ふところにゐてしづかなり

あをじろく苔を纏ひし土ありて踏みしむるときわづかに崩る

みづに芙蓉の花を浮かべてさびしめるこころでゐたしこのくらがりに

天使の輪の内側の闇その闇のみなもとを知つてゐたのか鳥よ

アポロンを師として仰ぐむなしさを嚙みしめてわが渇水期過ぐ

三つの死のあとに

夭折の、そのはつゆきのうつくしい白さについて考へてゐた
丘に誰もゐないしづけさ名を呼べばこゑがとほくへ消えてゆくこと

しづかに終はることがこはくて折鶴の首をさいごに折るなかゆびの

葬（フューネラル）といふ語にやはらかく包まれてひとのからだは燃えてゆきたり

あへて死者を数でかぞへよ死のひとつひとつは計り難きものゆゑ

斜線のみになりたる戸籍謄本のひとすみに我の名は残れり

生きること、つまり死を延期すること永遠に渡れない河がある

病棟にて

よりどなく喫煙室に集ひ来て我ら語りぬ家族のやうに

リネンといふ響きは柔（やは）くちちははを思ひ出づるにふさはしかりき

深く立ち入ることなくその場を離れ来つむやみに長き病名聞きて

来歴を問へば数多の病院を廃工廠のごとく浮かべて

孤立して生くるはみどりさりさりさりとバウム・テストに描く針葉樹

喉（のみど）そは水没都市（アトランティス）を思はしめがらがらと鳴る（沈む）（鳴る）嗽（うがひ）

洗面所脇にひそけく生くるもののポトスはだらに澄みゐたりけり

葉が揺れて風かと思（も）へば百舌が二羽たはむれゐたりうすくらがりに

病棟に戻れば我を隔てゐるガラス戸の果て澄みきはまれり

黒服のをとこ闇よりあらはれて煙草をくれとほそき手を出す

不潔恐怖の少女と語る新しきまつしろな家のゆめものがたり

蕗の根の芯が固くて食べられぬ　食べられぬ芯固きものども

打ち震ふ蛾を鎮めむとするごとく我が心音に我が指の杭

なべてしづかに喪となる夜の病棟の管理室から漏れゐるひかり

聖餐のごとくに受くる手のひらの眠剤二錠　夜へ旅立たな

病窓のあをぞらにふと巨大なる肺魚あらはれしばし浮遊す

羽のない蟻

死にも終はりがあるのだらうか海岸の墓石群みな碑名なしと聞く

死の終はり、すなはち名前なき死者たちの群れくらがりにふかく息づく

死者の名を一人も知らぬ土地ゆゑにおそらくは遙かなりアウシュヴィッツ

かたはらに重き椅子など持ち寄りて更くるまで夜話の続きを

文明滅びればまづ書物より消ゆと言ふ　鉄骨むき出しに残ると言ふ

抽象的思考に倦みてボールペン歯でくはへをり歯はぐらつけり

風雨激しく打ちつくる真夜くるしみを我ごと隔離せる窓ガラス

荒き息終へてしづかに口開くる祖母の死に際を我は忘れず

老人ホームに祖母が使ひし白き椀を携へてひとり病室にをり

家族みな散開したり　パークサイド・リバーサイドといふ名の虚ろ

冬の夜の只中に放り出されたし冷たからうな羽のない蟻

枯野、われぬくぬくと生き延びてゐてこの枯野また死に損なつた

ぬるきスープを舌で舐めをり飲食といふあさましきほのあかるさに

いつか我にも死の訪れて馬の首みな削ぎ落とす驟雨とならむ

生きよ、ただ生き延びよ泥沼に這ひつくばひて生きよ、そしてただ書け

新しきシーツ纏へるわが肌にひび割れし磁器のごとき涼しさ

朝霧のほのかに流れゆく様をわれの内なる死者と見てゐつ

情念の老いさらばへてゆくことの　世界へと呪詛の旗を掲げよ

未知なるこゑ

Abh、その未知なるこゑに聞き入れり永遠(とは)に母語とはならざるこゑに

※Abh(アーヴ)は、森岡浩之原作のテレビアニメ「星界の紋章」、「異界の戦記」に登場する。アーヴ語という架空言語が実際に作られ、アニメのなかで使われている。

母語といふ響きは羞(やさ)しいくつもの摘み損ねたる種子を思ひて

常に異民として在るさびしさはこひびとの頬撫づるときふと寄せて来ぬ

異種なれど人であることをりをりに湧き出づさむき生活（くらし）のなかで

わがうちのブルーラグーンよたましひの誰にも触れ得ざる場所がある

安息と同じかたちのパンを買ふそのやうにして雲は浮かべり

終はれば全て無になることの（楽だらう、さう楽だらう）また明日は来る

iPhone（私のこゑ）といふ箱にひそけく溜まりゆくこゑを持たざるわたくしの歌

スクロール（羊皮紙をまく）、なめらかにひかりのうへをすべる、ゆびさき

ひかりでひとをつなげ続けるこの島も五月には胡蝶蘭が咲くでせう

そのころの方へ

水晶の夜いっせいに燃え上がる天使だらけのカタログブック

週末はレモンジュースの明るさでしづかに雲をどけてください

鈍痛は夜やつてくるびしよぬれのサッカーボールが頭上を越える

生きてゐるぼくをまだ呼ぶこゑがする　そのこゑの方へぼくは向かふよ

潮騒の寄せくることも津波だと思ふあなたとゐてありがたう

ものを探すときに携帯電話だけ答へてくれるからありがたう

自転車が盗まれたんだ歩くのがこんなにつらいぼくだつたのに

No money, No life

目の前の老人がどのやうな生活か知つてゐたら金はとれないだらう
金を払ふ奴が顧客でさうでない奴が他人であるといふこと

クリアランスすべきだ思ひ出も商品も留まつてゐるのは悪だから

世界に触れてみよさうすれば香港のしづかな猫の彫物の眸

おまへは俺と同行できぬ俺が早すぎて俺すら捨ててゆくけふだから

五十年たつたらきつと悩んでゐるあなたもただの白い墓碑になる

private letter

関東平野になんて来なければよかつたとずつと後悔してゐます、春の雨

家が欲しいだけだつたのにあの街もこの街もみんなきれいです、さむいです

かうやつて電車のなかで書くことが、すこしづつ（くらやみが）増えました

書くことよりも消されることのはうがこはいWebのしづかなうつくしい文字

あと少しでわたしがゐなかつたことになる日本のことを考へてゐます

実は誰ともつながつてなかつたmixiとかTwitterなんて誰もゐない駅でした

かなしみ

いちまいの海に終はりがあることを知るかなしみに絵は途切れたり

ほほづきのそのとがりたる先と言ふあなたはきつと余生のことを

まなうらにそつと佇むものとしてカール・マルクス晩秋の樫

ああこゑが、ずつと聞こえてゐるのです夜汽車のやうに聖書のやうに

とめどなくゆふやみ洩るる樹下にゐて私はいつか私を許す

夢

喧噪のなき朝三時まつくらなおもちやの鼓笛隊やつて来る

夢だつたこと眠ることキッチンでいくつかのパンケーキを焼くこと

消えさうないのりばかりが揺れてゐてなんとむざんなあかりでせうか

ひかりにはあらねどそれに似たものを追ひかけてゐた真夏の終はり

誰もゐない改札口でふと思ふ海ほほづきと世界の終はり

ひかりと思へ

ああ深夜、蛍光灯のすぢは満てりそをたましひのひかりと思へ

孤独なり自宅で幾度倒れてもだれもだれもだれも起こしてはくれず

唯一の外出日としてカレンダーに記す生活保護費支給日

たとへば雨が我のかたちを保つといふその感覚に佇みゐたり

かまきりにぢつと待たれてゐるやうな気持ちで夜のバス停にゐる

バス降りるとき黙礼をする少女ゐてくらやみ港北車庫前しづか

ひめくりが知らずに減つてゆくやうな濃淡のなき日々をかなしむ

つり革に手がびつしりと垂れてゐる列車にてひとり死を思ひたり

夏の雨昏しといへど或る時は放課後のやうに思ふことあり

秋の歌

ゆふやみは濃くなりにけりこの秋は菊枕せる人もあるらむ

「水中、それは苦しい」夜はざむざむとわれの生活崩(く)ゆる音する

※「水中、それは苦しい」は、日本のスリーピース・ロックバンド

内山晶太記念館立つ日のことを思ひゐにけりこころ晴れねども

十二月、雷雨脈打つ冷たさにロボットのやうに手指痺れゐつ

或る時は硝子の兵の一つとしてこの寝室に据ゑ置かれゐつ

数限りなき死のかたちありて吾（あ）は思ふたとへば海へゆく火のことを

死んだ馬車死んだ貨車みななまぬるき吐息を吐けり春の岸辺に

永遠に呼ばれることのない名前考へてゐてかなしくなつた

滅びゆくことを無敵と思ふかなスーツケースに落ちてくる雛

みづ、きよらかに支流にそそぐかはせみがこのありやうを教へてくれた

子らの唱ふる「平和」になべて抑揚なし敗荷朽ちゐし面（も）を眺めゐる

少女期は水彩あはく引くごとく過ぎにき火祭りを見にゆかな

ひとびとの圏外にゐて電話鳴らぬ今日を生きをり雑踏のなかで

雨と死の歌

あぢさゐに白きひかりを纏はせし夜の雨、緩慢な死のこと思ふ

カリウムをうつやはらかき死のことを思ひゐにけり石榴を裂きて

殺鼠剤まくゆふつかたしづしづとひとりの部屋を闇は浸しぬ

ガスの火にかほを近づけつつ思ふ瀕死の鳥のその後のこと

家族とはつひのまぼろし夕立ちに打たれ蒼白の花群れゐたり

樹にもみづ、地下にもみづは流れをり指かろやかに冷(れい)なぞりつつ

睡蓮をはげしく濡らす夜の雨に血族といふ語をさびしめり

暑は猛けて祖母なき日々を、惜別のお寿司をもつと買へばよかつた

弘田ちゑ子の題に応へて

パヴァーヌはそつと途絶えて息だけがつづいた夏の夜の深い場所

ゆめとうつつのあはひにゐたよなかゆびでランプシェードを支へるやうに

少女ふと、脱兎のごとく駆け出せり夏の鬱屈を突き抜けむとして

牙もたぬけものばかりを食む性(さが)はむなしきひとの弱さなりけむ

夏服の背中は地図のごと透けて若さを既に眩しと思ふ

煉炭で死なうと言ひてくれしひと逝きてわれのみあふぐ夏空

とめどなくほたるほうたるあざやかなひかりのそとへきみをつれだす

おもかげ

茫漠と政治を語るむなしさよ花をな摘みそ雨降る秋は

おもかげとは夜の言葉か帝国の面影になほとらはれてゐつ

日中関係冷ゆると聞けどわが生にかかはりはなし深く爪切る

義捐金求むるビラを今更　と　押しのけて過ぐ雨の渋谷に

しらじらとつきあかり見きわれかつてさびしく東欧を恋ひしことあり

批判の声乏しくなりしくらがりにただ聞くオラトリオ「森の歌」
※ドミートリイ・ショスタコーヴィチ

ほら今日もきつとしづかに帆船は、点々とあなたは泣いた

運河に行きたかつたぼくはあなたと二階にゐて「地に落ちるまでが雨です」と

あなたはただの体温だつたしいちにちぢゆう呼吸と生活の音がしてゐた

作業中です、徒歩二分で三ツ沢へ行けることがわたしへの愛だと思ひます

ダスビダーニャ

息継ぎもなくクロールを泳ぎ切るごとく病みたる三年過ぎにき

あなたを死者の比喩にしてゐた知らぬ間にぼくからとほり抜けたあなたを

海辺（かいへん）をとほく眺める日々にふと病巣のごとく雪は降りにき
克明に医師は記録す毎週をわがうちの闇の長さのままに
わが貧をたとふる言葉乏しくて冬は草木（さうもく）さへ剝きだしなり

緋鯉二尾、 川面に口を覗かせて水紋を成すそれぞれの上（へ）に

虫の音を遺言のやうに聞いてゐたぽつりぽつりと川原がひかる

つながりが無言のうちにつづくこと怖ろしWebの脈はひにゐて

断絶について、　わたしは長く考へてゐた珈琲の薄れゆく白き靄

街が時計のやうにしづかだ駅ビルの窓からうごくひとを見てゐる

わたしは誰のかげであつたかあをぞらを封ずる雲の腹ふとく見ゆ

たましひの居場所は脳（なづき）、わが脳思へばくらやみに浮く鱗翅目

夜の縁に家々の灯の点りゐて闇に濃淡があるを知りたり

ぬつたりと夜の蛇口からあらはるるみづは裸体なり侘しきほどに

自爆テロでいいからわが病苦ぶつとばしてくれ　明日はないか

弱者といへど左翼にはあらず深夜便告ぐるホームの電光を見き

そして思想は部活に変はり校庭の残菊の頸みな斬られたり

鉄の女逝きしと聞けばたとふべき鉄なし鉄の時代終はりぬ

あをぞらで決してつながることのないわたしのなかの国境を行く

精神が鉄塊ならばわれは病むこともなかりき鉄は恋ほしゑ

聖夜ソヴィエト崩壊の日を思ひ出す人なしあかあかと鶏は燃ゆ

検索をするその都度に愛は増す、Wikipedia　記事のながきソヴィエト

リディア・リトヴァク死後五十年の陰惨を思へり冬の夜のうすあかり

三十を過ぎればみんな散り散りに生きる蜉蝣の浮くこの街を

われらは同志ではなく群れでさへなかつた、ただ少数であつた、海鳴りよ

平成に没して長きわが生をあはれと思ひ眠るこころは

Google が見守(まも)る世界よゆびさきで渋谷は動く地震(なゐ)のごとくに

新年を迎へる

新年を生者の側で迎へたるさびしさバスは県境を行く

二次会、さいかち真は

あの人もあの人も逝つたと語りおまへだけは死んではならぬと繰り返し言ふ

時に歌は痣のごとく見ゆ　浴槽に身を沈めおまへは誰であつたか

"Dunkel ist das Leben, ist der Tod." 繰り返し聞きつつ今日は昨日になりぬ
※グスタフ・マーラー　交響曲「大地の歌」

異郷、彼岸、いくつかの別離などを思ひつつまた明日を生きる

さうではなく明日を歌ふことバスはいますずかけ台をとほり過ぎたり

visions of Johanna

ルイーズのことをかなしみ雪の降る夜には雪と話がしたい

※ボブ・ディランの曲「visions of Johanna」より。ルイーズは曲に登場する人物。

ヒーターの温度に部屋はなつてゆきまたぼくだけが冷えてゐたんだ

あなたもあなたも抒情歌人なのだね、と呟いて冬の星空を見る

さうvisionだつたと思ふなにもかも変へようとするすべてのことは

怯えてゐるよフランスパンの生活に、韻律論を書き変へながら

深夜営業するコンビニ、ルイーズ、雪はずつと降つてる
じゅんばんに空気がぬるくなる街であなたと傷つけあつて別れた

僕らの音楽

岡井隆をガラスケースに入れておく、僕らには僕らの音楽を
幻聴と雨と名もなき抒情詩とそして市バスの減便のこと

大森靖子「絶対彼女」

ディズニーランドで一生いきてゆくやうなしあはせはゆめはるのあはゆき

あなたを待つてゐたのは僕がここにゐないことをあなたに伝へるためだつたんだ

言ひよどむことのつめたさみづのやうにただかなしみが伝はることの

音楽を聴くたび戦後はとほくなるもつと夢とか見せてよずつと

あなたは何も知らずに iPhone 聞いてゐてぼく寄り添ふしか出来なかつたよ

春と四行詩

肺のやうに苦しみを言ふあなたからずつととほくへ来た、紫木蓮

逝つたひとが白いカーテンにすきとほるあなたに『明るい部屋』を渡して

※ロラン・バルト

祈りのために

いつも遺言のやうに書いた、いろんな方法を試した、でもぼくはまだ生きてゐるし、
あなたに伝へる声も、やがて聞こえなくなつた、それでもぼくはまた話すだらう。
讃美歌が聞こえる彼方、とてもまつくらな闇が、ゆらゆらと近づいてきたとしても、
なんども雷鳴のやうに、うつくしいこゑが聞こえる、そんな運命があつてもいいね。

歌よあなたに何度もかなしみを語つたね　さらさらと小糠雨降る朝は

花の手紙

カーテンをひらくと朝だけがそこにあつてぼくにさびしい文字を書かせた

ラビュリントス、春の図書館、うつくしい異国語を話す女友だち

リンネルのシャツ着て街に出た朝はすべての朝焼けが透きとほる

花の手紙を何度も読んでから燃やす、間違へて花として生きぬやう

とどこほりなく朝の列車が通過したあとの余韻がこの街だつた

レンブラントの話をあなたから聞いて半透明な夜を見送る

春の香を夏まで残してゐたいから封を開けずに置いておく本

もう二度と壊さないから　夏までに海辺に椅子を置いてください

子

太き父の大腿骨を拾ひしことあぢさゐの花見れば偲ばゆ

「父の骨は子の骨」古き小説にときをり夜の競馬場出づ

※宮本輝『優駿』

ナイターに駄馬の駆けゆく川崎を父は知らざりき永遠に知らざりき

父、母、母父と書かれたる新聞の、血統で買ふ主義ぢやないんだ

ゲーリングの孫が不妊手術を受けたといふドキュメンタリー見れば淋しも

ヘスの子はヘスの名を継ぐことを決めああ炎天のダルムシュタット

子をなす生き方があるといへど　人生を負け続けてどんづまりの競馬場

子をなす生き方があるといへど　累々とわが姓が続くことを恐れて

人生は死後のはうが長い（さうだらう）青菜を茹でし祖母を思へり

せめて己（おのれ）は長い死後を生きられるやう、活字になつた我が名を眺む

レオン・ブルムと凡庸な善

雨をちぎつて走る電車のうつくしさ　火の十字団（クロア・ド・フー）のことを教へて

わたくしは氷菓をモノクロの彼らは銃を、彼らは語ることしかなくて

レオン・ブルム（あなたは歴史に名を残すことがなかつたが、決して駄目ぢやなかつた）その凡庸な善

いつのまにか氷菓溶けゐしゆふつかた人民戦線のうたごゑを聞く

ホルスト・ヴェッセル・リートも楽しく聴き終へて午後の湯浴みの鼻歌とする

ロレーヌ十字の旗うつくしく翻る巴里を想へど雨降る巴里は

ああ主義よ滅びし主義よ空想の沃野に旗を立てかけてゐよ

Re: 打ち上げ花火

さやうなら揚雲雀さやうなら青葉闇あなたはとてもよくしてくれた

感情を消してゆくのももう馴れてとほくカタールからのタンカー

あなたから打ち上げ花火をするよつてメールが届く夏の終はりに

Re: 打ち上げ花火はきれいだね、あんなにもちぎれさうに夜があかるくなつて

音を出した火はもう消えるだけ、真夜中の花火もベルリンの松明も

煙草を消して見てゐる海はまばたきを何度も見送るほどに淋しい

恋愛はいいね（うすぐらい雨のなかで）恋愛はとてもいいね（震へる）

改札口を抜けて、かすかに上を向き、幽霊の映画のやうな星空を見た

どんぐり

エクレアをぼんやり裂いてゐるやうな気持ちでぼくは秋を過ごした

何気ない雲から順に消えてゆく秋はときどきひかりだと思ふ

キッチンにスプーンはひかりこの夜の手ざはりをすこしづつ確かめる

薄口醬油うすくちだつて聞いたのにあんな淋しい表情をして

操車場に降るあはゆきは綺麗ねとあなたは湯葉を匙で掬つて

仏像のほほゑみを見てゐるやうな、あなたの銀の笑顔、淋しい

メタモルフォーゼ笑つて欲しいと言つたのにあなたは蟬のこゑ聞いてゐる

ぼくのさびしさはしづかな蜘蛛のさびしさ、ぢつと白磁のお皿を洗ふ

温水に浸した白い手のひらで掬ふかすかな秋のひかりを

瞼閉ざす束の間われの湖は見ゆわれのみに見ゆ春のおほうみ

野毛山動物園に行った

冬晴れにかすか流れてゆく雲を秋の澱(よどみ)のやうに思へり

奉職のなほ叶はざるわれのごとし獣類はみな檻に寝てゐる

我ら見て、彼ら見られてゐることの淋しさよ眼の潤んだ麒麟

しばらくを汀女の句碑の「蕗のたう」見つめてゐたり風寒き日に

音もなく樹上を栗鼠が走りゆく、あなたからどんぐりを貰つた

映写機のアジア

レゴ・ブロックで作つたあなたの平和ですたましひの感覚がない

深閑と世界は寒くありましてテヘランの耳北京の瞼

映写機のなかでアジアに触れてゐる私は人を愛せずにゐる

背もたれにもたれてきみは眠りをりもうヨルダンを忘れただらう

キアロスタミの映画のラストシーンのやう、本を開けば花が溢れる

梅の道

どうしてこんなに完璧に咲くのだらう梅は、まつしろな林道をゆく

ときどきはきつと湯切りが必要な表情で泣くかなしいと泣く

生きるつて面倒臭いね歯ブラシの毛の替へどきがよくわからない

きた道をゆけば戻つてしまふだけかもめ大橋のその名の通り

はるのあはゆき逃げ場はなくてどこまでも傘さしてゆけ、さう耐へてゆけよ

光

うすら日を浴びてきらめく三月の街は光の墓としてある

ディナモ、ツェスカ、東欧の残り香をずつとさびしく嗅いでゐたいよ

港湾をそつと離れる船のやうレギア・ワルシャワ春の入江は

きみがしづかに蛇(くちなは)であるゆふぐれをひつそりと過ぎてゆく秋の雲

いつまでも海は女性のやうだつたしづかに去つてゆく冬の日々

梅の花咲いてゐるのに外は闇、あなたと「energy flow」を聴いた
※坂本龍一

春に聴くチェット・ベイカーいつの日かひかりにひかりのまま出会ひたい

雨の日

あけがたは針のごとくに雨が降るあなたに白い鍵を渡した

じゅんばんに息を引き取る蟬のこと思ひつつ朝の入口にゐる

硝子戸の向かうは秋で少しづつ体温を生活に変へてゆく

ささめきが止まない風の吹く庭をゆつくりと白い猫がとほつた

あなたからもらつた朝のシリアルに昨日の祈りのことを聞きたい

ゆふぐれの雨ひそやかにやんでゆくあなたを何もわからなかつた

きみと過ごす

彼女が常にツイキャスをやつてゐる
生活がすべて放送されてゐてひとりではないひとりにゐたり

監視社会をみづから望むのか
人に見られてゐたはうが落ち着く、といふきみの感覚をたうとう理解できずにゐたり

脚を痛めたことよりも見られてゐることがこはい無言の閲覧五人

俺のプライバシーなのかおまへの趣味なのかおまへが勝つてゐる午前二時

親に虐められたといふ過去をふりかざし親から米の仕送りもらふ

生きてゐる親も案外むづかしいマウスパッドの裏の灰色

きみの、きみの、きみの、きみの生活僕は痛めた脚さすりつつ

パキシルを飲んで自殺をしましたと泣くひと夜の画面に映る

ときに制度が人を殺すと知りつつもわれは制度に守られてをり

現実に制度はなくてきみの母にタンス運べと命ぜられたり

電話口で死ねと言ひ合ふきみと母　制度の優しさを説くわたし

わたしはきみの制度ではないきびきびと冬の文鳥くび動かして

自立　いやきつと避難だ夜深くなるまで物件を巡りつつ

もう話したくないといふきみの代はりにきみの支援の人と話しをり

障害者の転居手続きの煩雑なこと夜に星食ふ蝶がゐること

きみが祖母に花を活けてくれるといふことを頼みにしてもよいのか冬よ

きみと読む般若心経やはらかく祈りはきつと制度ではない

わが家の近くに引つ越してきた

きみはつひに一人暮らしになつて僕の家でマグカップを投げつける　おめでたう

一人でゐると自分が壊れてしまひさう／でも親元には戻れない

新しい支援のひとの伊勢丹のネルシャツをきみはこつそり笑ふ

生易しい愛なんてない　はてもなく食器飛び交ふ家にゐたきみ

そしてわかつてくれない僕に食器を投げつけるのだらう　さういふ愛だと知つてゐるんだ

僕は赦す、すべてのきみの怒りを赦す、さうしてきみのすべてを赦す

動けないきみの代はりにコンビニへ虹色の弁当を買ひにゆく

やつと一人になつて友だちに打ち明ける僕の苦しい暮らしのことを

見捨てればおそらくきみはもう誰も信じないだらうから　立葵

先のことはわからない　でも今を生きてこそ　歳月はときに淋しい航路

星空

Twitterに何度も書いては消す夜の、配慮つて本当に息苦しい

はつきりと可否を言へずに過ごす日はどこにもわたしがゐないやうです

決めきれぬわたしの弱さやさしさと言ひ替へられて識る冬の花

苦しさをあらはす言葉が見つからない　星が綺麗な公園にゆく

環境をととのへるのも才能のひとつ春の星座を三つ数へる

発作起きて液状薬を飲むことも春待つ夜の習はしとして

iPhone をひらくとあなたからきつとけふの桜がとどくのだらう

春にはきみの絵が売れること　僕は夜で、すべてを投げうつて世界を包む

やさしさが罪ならばいつか舟に乗せて金魚を放つやうに流さう

ここまで来たら自己責任と詰(なじ)られて　南へ向かふ船を見てゐる

桜花抄

五分咲きのさくらを濡らすとほり雨がおだやかに降る　火のやうに逢ひたい

傾ぐことなく立つ桜木に手を当てるきみと生ききる覚悟を決めて

生きつた桜で埋まる街道はあしたのためのしづかな運河

むしろ裸の桜こそうつくしいのだと言ひ聞かせ重力に泣いてゐる

梱包の仕事に就いたきみのため春の疎水の本を送つた

ああ僕の愛とは何か露草の青さをきみは好きと言ふけど

偏西風のしづかな夜にきみと語る東直子の歌ものがたり

僕は知であなたは情で、ただふたりとも星を信じてゐる

アジエンスでゆつくり髪を梳くきみがもう誘蛾灯みたいに見えた

散文的思想

美術館に絵画の死骸を見に行つた複製とかいふまへに死んでた
繊細で平和的なこの文芸の果てとは退屈なのであらうか

芸術とは恐怖について考へること春は野良坊菜の辛子和へ

哲学の退潮とTwitterの台頭は近似値かもしれない、長い路地を歩いた

存在の錘鉛（とても戦後詩的な比喩だ）そのあひにうちなびく枇杷の花

日本、この大きな虚よ、ことごとく思想途絶えて梅雨の季節

土

未帰還のサン・テグジュペリ　うなさるる夜のまにまに浮び上がり来

青春と呼ぶには遅き日々(にちにち)のひかりは淡し　目を開きゐむ

かなかなのこゑする朝に目覚むれば月の名残はくきやかに見ゆ

空中に体（たい）を預けるあやふさを思ひぬ床を離るる度に

カポックの葉は繁りゐてみづからの重さに一枝しだれゐるかも

かりそめの生業（なりはひ）なれど菜を植ゑてわづかな金を貰はむけふも

赤茄子に二本支柱を挿すといふ作業またけふも繰り返すかな

時給百五十円の畑なり労働の実感のなきまま麦を踏む

生きがひを畑に求めるひとのことつひに解し得ず畑の仕事

天気予報が日ごと気になるはつなつよ明日は種が撒けるかどうか

甘藷の皮かすかに剝きて紫と黄色を分ける術を知りたり

ドラム缶に一気に芋を入れたれば一日かけて焼き芋が成る

芋を売る声を放てど立ち止まる人なしあはれ午後のバザーは

時を経るごとに葉物の減りゆけるさま見てすがし午後のバザーは

午後のバザー終はりてきみに買ひゆかむ余り野菜を選びて帰る

就労支援としての農業、　わが貧はどこへも行かず麦揺れゐたり

炎熱の畑にわれの肌灼けて太古の仕事思ひ起こしぬ

病める日は鉄筋ばかりの横浜がただおそろしくおそろしく見ゆ

この街に土あることのあたたかさ　素手でしつかり握るおにぎり

病名を告げられし日のとほのきて土の上では人として在る

鍋を洗ひただ生活のむづかしさ確かめてをり加工作業に

生活は鍋の形をしてゐたり洗つても洗つても次が来る

スープしづかに煮えゐたりけりわがうちの苦しみすでに底（そこ）ひに消えて

安定して通ふは難（かた）しけふもまた電話をかけて欠勤を告ぐ

立ちのぼる雷雲にコンセントを抜きて空の怒りをただ避けむとす

歪

歪なる冬瓜あまた捨てられてゐたりとけふの報告にあり

われら歪な野菜は捨てじと繰り返し確かめてけふの報告終はる

歪なる果は売りものにならぬといふ　もしかして人間もさうなのか

歪だから殺したといふ犯人のこと考へて考へて夏は過ぐ

台風の寄る列島を眺めつつこころは曇る夜のテレビに

やつでの葉風におほきくひるがへるさま見つめをり風の盛りに

ことごとく台風一過の畑にて赤茄子あまた実の割れてをり

空中戦みたいに

木には根があつて戦争にもあつてぼくらは朧月を泣いてゐる

文学の壊死きみの自死テーブルに白米が干からびてゐたこと

「嘖」といふ字に嘖といふ感情を託すまだ鈴虫が鳴いてゐる

あきらめを死のやうに言ふわれだつた夜もすがら回りゐるハムスター

簡にして要なるきみの処方箋花びらのごとく捨ててさきいか

カレル・チャペック響きを愛でしこひびとの識字障害あはれなりけり

『ラディカルな意志のスタイル』懐かしく読みゐてわれは保守なりさびし

※スーザン・ソンタグ

ポーランド代表になる夢があつてぼくは日本を応援しない

春夜どこへ行つてもどこへ行つても崖、うつくしいメキシコの友だち

生活の枷うつくしくあるけれどきみのこはれた模型飛行機

反芻はいつもむなしい。平和とか、ダナキル砂漠は死の砂漠とか

金魚が死んだ理由なんて知らない　エーリッヒ、わたしのエーリッヒ

金平糖をときに星羅と呼ぶこころ隠してあかりのない夜をゆく

樹木の香りのする夜の雨にうたれつつ『スーホの白い馬』を思ひ出す

※大塚勇三 訳・赤羽末吉 絵。
光村図書の小学校国語教科書に採録された。

あなたは忘れるために「ミツバチのささやき」のどこを一小節と言ふんだらう

※ビクトル・エリセ

自転車の白いあかりとすれ違ふ小道で忘却について考へる

受け入れてゆくべき日暮れ誰もゐない椅子があたたかかつたそのこと

始めるために終はらせるんだ　春の雨、ドゥルーズを売り大辻を買ふ

五月の日々

あぢさゐは地にくづれつつ咲きゐたり日陰に青を留めむとして

風つよき五月にきみは倦み果てて日をとりどりのくさばなで覆ふ

労働といふ鋳型に体を注ぐこと難しくわれの輪郭あはし

放鳩ののちのゆくへを知らざりし一羽と昨夜の夢で出会ひぬ

夏汀といふことばを知りて照らさるる水面の粗き凹凸を思ふ

ハムスターもときに逐電したきことあらむ夜な夜な檻かじる音

天井より列車の音のとどろきて見上ぐれば壁くろき陸橋

をりをりを灯に包まれてゐる暮らしフロアランプにふたりは集ふ

幸せがかたちにならぬ悔しさを波にくづるる砂に思ほゆ

くりかへす妻の躁鬱おろおろとなすすべもなく細雨に濡れる

小手毬の庭

妻といふ響きは雷（らい）のはかなさだ　ゆつくりと夜は帳を降ろす

家族といふ言葉まだなほ実感のなきまま夜は終はり朝（あした）へ

母が抜け父が抜け祖母が抜けた家わたしが抜けてつひになくなる

ここにしかゐられないなら愛し合ふほかなく木槿の花に祈らう

これからはきみと築く家　小手毬の花がしづかに咲き満つる庭

サーカスをひとりで見てたなつかしさもうひとりでは見ないさびしさ

「西巻」の名を持つひとがひとり増え山葵のみづく沢を思つた

ファミリイとふ語のやはらかさ思ひつつ油まみれの鶏引きちぎる

三温糖の封を開けつつきみに説くきみの知らない母のことばを

自分のことしか考へてないと怒られるひとつだけチョコモナカを買つて

きみとゆく春の中華街（鳥占（とりうら）をきみは知らない）肉まんふたつ

四月しづかにカーテンを揺らす風のこときみは、 波紋だつたのか

妻を娶るとは春に見るゆめに似てうつすらと朝は瞼を開く

魚（うを）らに

金魚あまた口動きつつ漂へる夜のTwitter眺めてゐたり

無為なことば探さむとしてわれは見つ魚（うを）らが吐けるみづのゆくへを

なめらかにみづを形に添はせつつプラケース春の檻となりゆく

ほそき泡水面(みなも)へのぼりゆきしのち大きな泡となりにけるかも

とろとろと湯に浸りたるわが身うれしかつては夜を呪ひしわが身

横浜

勤務終へて夜へ赴けばひろがりぬ開港祭のひかりの花火

人のゐる窓から順に点りゆくみなとみらいの大きな団地

港北といふこの町に船はなく思ひ思ひに窓開きをり

はろばろと空ひろがりて見ゆる日は関帝廟を思ひゐるかな

うつむきて二人でゆけり幸(さいはひ)と名を付けられし川のほとりを

白き巨船きたれり春も遠からず　大野林火

春を思ふこころは我にもあるものを白き巨船（ふね）ゆきつひに見えざりき

まぼろしに白き巨船あれば春だらううつつに来ればさびしさだらう

この街につながる洋を思ひつつこころやすけし冬に到るとも

警備員日記

任されて鉄鋼ゲートを護るとき耳の奥まで海風来たる

朝の立哨、夜の動哨、一日を哨に充てつつわが生業(なりはひ)は

この道二十年、といふ隊長の厳しき岩のごとき立哨

斎藤さんと敬礼をまた交はしあふ敬礼のみの付き合ひなれど

車、歩行者、車、自転車！　車！　われはうろたへる警備員なり

制服の乱れを言はれ書き記す夜光ベストのボタンの位置を

怒鳴らるることにも慣れてきたるころ怒鳴らるること減りてゆきたり

営業の電話のごとくやつてくる横浜支社の出勤依頼

出勤の依頼をつひに断れず泣く泣く歌会を断るわれは

ダイエットコーラ飲み干し持ち場へと向かふうしろの方に陽光

喫煙派の葬式のごとく思ふかな煙の満つるブリキのバケツ

雨の林道

フラワーしげるによろしく、木下龍也によろしく、雨の林道
ぼくはぼくを生きるほかなく沸点を越えてゆらめく水を見つめる

読み終へてわたしに兆す火のことをあなたに打ち明けて夜が更ける

朝のみづ飲まむと馬は首を下ぐ　みんな芸人になつてゆけ

感情の襞を数へる営みにつかれたら街の灯を見にゆかう

「エル・スール」観た過去なども沈みゐる記憶すなはち湖底の村よ
※ビクトル・エリセ

朝が来る牛乳屋さんのバンがゆく牛乳瓶をあまた揺らして

やきとりの煙の奥にそれぞれの顔、それぞれの暮らしの話

穏やかな late work をなさむとしばしば大きな榧（かや）を見上ぐる
※大江健三郎は、自身の晩年の仕事を「レイト・ワーク」と呼んだ。

ああぼくの「生きる」はどこにあるだらう　雨のバッティングセンターにゐる

ずんだ餅最強説を唱へつつ君は星降る夜に眠りぬ

東京もひと雨ごとにあつくなる　きみは競馬がみたいと言って

眠るまでぼくはさびしいあかりです夜の公園に佇むやうな

玉ねぎを煮ながらきみが怒り出す　Mステを見る　ぼくの負けいくさ

長い夢汽笛のやうなながいゆめきみは南瓜を箸でくづして
ぼんやりと雲が流れてゆくまでを見てゐた夏の朝をしばらく
なぜ意味を追ふのかぼくはわからずに夜まで見てゐたよ梅の花

誰もゐない夜のむお茶よベランダのタオルが凍る街に生まれた

姿かたちのよく似た花を眺めつつ日々過ごす老後までのひととき

戦争が窓であるなら、それぞれが見出しのついた窓であるなら

今さつき確かにひとつの詩であつた春のパスタをフォークで巻いた

川べりで自転車を引く幸福よあなたが川であつたとしたら

われも評よりいいねが欲しくぼんやりとTwitter見てひとひ過ごしぬ

春の水、死ぬな死ぬな死ぬな。歳月はまだ毛羽立つた肌をしてゐる

どこのページに書いてあつたかわからない文字として草原を歩いた

初出一覧

こゑ　「未来」二〇〇七年四月号
水仙の葉　「未来」二〇〇七年九月号
渇水期　「未来」二〇〇九年三月号
三つの死のあとに　「短歌」二〇〇九年八月号
病棟にて　「未来」二〇〇九年十一月号〜二〇一〇年一月号
羽のない蟻　「未来」二〇一〇年一月号
未知なるこゑ　「未来」二〇一〇年二月号、二〇一〇年五月号、「短歌」二〇一〇年八月号
そのこゑの方へ　「未来」二〇一〇年二月号、二〇一〇年八月号
No money, No life　「未来」二〇一〇年十月号
private letter　「未来」二〇一〇年十一月号
かなしみ　「短歌往来」二〇一一年五月号
夢　「未来」二〇一二年八月号〜九月号、二〇一二年十二月号
ひかりと思へ　「短歌」二〇一二年九月号、「未来」二〇一二年十月号

秋の歌　「未来」二〇一三年一月号〜二〇一三年三月号

雨と死の歌　「未来」二〇一三年九月号

弘田ちゑ子の題に応へて　「未来」二〇一三年十月号

おもかげ　「未来」二〇一三年十一月号〜二〇一三年十二月号

ダスビダーニャ　「未来」二〇一四年一月号〜三月号

新年を迎へる　「未来」二〇一四年一月号

visions of Johanna　「未来」二〇一四年五月号

僕らの音楽　「未来」二〇一四年六月号

春と四行詩　「未来」二〇一四年七月号

花の手紙　「未来」二〇一四年八月号

子　「未来」二〇一四年十月号

レオン・ブルムと凡庸な善　「未来」二〇一四年十一月号

Re: 打ち上げ花火　「未来」二〇一四年十二月号

どんぐり　「未来」二〇一五年一月号〜二月号

映写機のアジア　「未来」二〇一五年四月号

梅の道	「未来」二〇一五年五月号
光	「未来」二〇一五年六月号〜七月号、二〇一五年一二月号
雨の日	「短歌」二〇一五年十二月号
きみと過ごす	「未来」二〇一六年一月号〜三月号
星空	「未来」二〇一六年六月号
桜花抄	「未来」二〇一六年七月号
散文的思想	「未来」二〇一六年八月号、二〇一五年八月号
土	「Wintermarkt」二〇一六年十一月発行
	「未来」二〇一五年九月号、二〇一七年三月号
歪	「未来」二〇一六年九月号
空中戦みたいに	「未来」二〇一七年八月号〜九月号
五月の日々	「短歌往来」二〇一七年八月号
小手毬の庭	「扉のない鍵」創刊号二〇一七年八月発行
魚(うお)らに	「未来」二〇一七年十月号
横浜	「朝日新聞」二〇一七年十一月三日発行

警備員日記　「美志」二〇号二〇一八年八月発行

雨の林道　「未来」二〇一八年六月号～七月号

「フワクタンカ'78」二〇一八年五月発行

あとがき

　このあとがきを書きながら、今回刊行をご支援をただいた方ひとりひとりのお名前を思い浮かべている。この歌集は２０２１年2月２５日から3月2日までの期間、クラウドファンデングを行い、９１名の方にご支援をいただいて刊行することが可能になった。古くから短歌でつながっている友人、未来短歌会、特に彗星集の仲間たち、また私が尊敬する歌人の方、なかにはご自身も生活が苦しいのにも関わらず、「人ごとではない」といって、ご支援をいただいた方もいらっしゃった。このあとがき執筆時点で、わたしはまだ福祉の支援を受けており、到底自力で働いて歌集刊行の資金を用立てることはできなかっただろう。ほぼ１５年にわたる期間、短歌だけが私の心の拠り所であった。その短歌が、あるいは短歌に関わる人たちが、私を救ってくれたのだと思っている。まず、短歌に、短歌に関わる人たちに、そして今回有形無形に拘わらず、様々な形でご支援いただいたみなさまに心からお礼を申し上げたい。
　この歌集には、私が歴史的仮名遣いを断続的に試みはじめた２００７年から、歴史的仮名遣いの使用をやめることを決断した2018年までの作品を編年体で収載した。仮名遣いは文体を規定する。私は歴史的仮名遣いを使用することで、私が憧れてきた多くの戦後短歌や、岡井隆をはじめとする前衛短歌の歌人の文体を自分のものにしようと努力してきた。間違いを指摘されることも多々あったが、とにかく熱病のようにこの仮名遣いを自分のものにしたかった。この仮名遣いには、何か自分のうちから湧き出る熱量をそのまま受け止めてくれるような、そんな包容力があったように思う。最終的にわたしは、歴史的仮名遣いの作品を作り続けるだけの熱量を放出し続けることが不可能だと判断して、この仮名遣いの使用を辞めた。あくまで個人的なことであるが、これから発表する作品は現代仮名遣いということになるだろう。もちろん、仮名遣いをどのようにするかという問いは作者個人の判断に委ねられている。私の判断がそのまま、他の歌人の方に当てはまるかどうかは、わからないし、私の判断が正しかったのかどうかも甚だ心もとない。

加藤治郎先生には、監修として、歌集の仮名遣いを統一することや、編年体とすること、初出一覧を作成することなど、歌集のもろもろについてご相談にのっていただいただけではなく、選歌の一切をお願いした。私は先生（あえて先生と表記させていただく）に未来短歌会に入会して以来、右も左もわからない状態から、様々なことをアドバイスいただき、歌会で懇切な評をいただくことで、育てていただいたという思いがある。加藤先生のご高恩には、ただ深謝するしかない。

また今回装幀は花山周子さんにお願いした。私が精神の病で倒れる前まで親しくお話をさせていただいた間柄だったが、病んでからはほとんどお話もできていなかった。今回１０年ぶりにお話をして、装幀を二つ返事で引き受けていただいた。あらためて花山さんの古くからのご友誼に感謝している。

ニシダ印刷製本の家本照彦様には、お忙しいなか、印刷の工程や製本の仕組み、どういう形にすればコストがかからないか、また用紙についてのあれこれもご相談に乗っていただいた。本作りについてまったく無知だった私が印刷について詳しくなったのは、家本様のアドバイスのおかげである。

版元の明眸社の市原賤香様は、以前私が「未来」の大会に参加した際、歌集の出版をおすすめいただいた唯一の方で、今回本作りをお願いするにあたって、微に入り細に入りご相談に乗っていただいた。市原様の手で歌集を出せたことは、私にとって誇りであり、また救いである。

他にも感謝を申し述べたい方が多くいる。

今回、歌集製作にあたって、西巻真歌集製作委員会という委員会を作り、その団体の代表として資金管理を一手に担ってくださったのは、未来短歌会の仲間である夏韻集の佐藤薫さんである。佐藤さんには、資金管理をお願いしただけではなく、急遽校閲も担当してくださることになり、言葉では言い表せないほどの感謝の念を抱いている。また製作委員会のメンバーとして、彗星集の先輩である杉森多佳子さんにもご協力いただいた。ここに特記して感謝の意を表したい。

また、私を育んでくれた未来短歌会の先輩は他にもいる。そもそも、私が未来短歌会に入会するきっかけとなったのは、笹公人さんのカルチャーセンターに通ったことである。未来短歌会入会を勧めていただき、また加藤先生をご紹介いただいた笹公人さんがおられなかったら、私の短歌はだいぶ違った形になっていただろう。また私が、自分の歌評や歌に向き合う姿勢を培うことができたのは、大辻隆弘さんをはじめとする夏韻集、特に夏韻集首都歌会のみなさまの長年のご友誼による。大辻隆弘さんは、自分が歌に向き合う姿勢をずいぶん長い時間をかけて培ってくださった。謹んで、笹さん、大辻さんには感謝の意を記しておきたい。

さらに、今回のクラウドファンディングを代表して、須田覚さんのご厚情を特に記しておかなければならない。須田さんをはじめとした多くの方のお力添えに改めて感謝の意を記させていただきたい。

最後に今回、装画を担当してくれたのは画家であり詩人・歌人であり、私の妻である西巻真実である。家族をほとんどなくした私にとって、真実の存在は唯一の私の生活面の、また精神的な基盤だった。真実の朗らかさに幾度となく救われた。本当にありがとう。

多くの方のお導き、お力添えでこの一集が世に出ることになった。たくさんのあたたかさを胸に刻んで、このあとがきを終えようと思う。

２０２１年４月２６日　　春のあたたかさとともに

西巻　真

【著者略歴】

1978年新潟県生まれ。横浜市在住。

2005年より短歌を始め、2006年、未来短歌会入会。

2008年、未来年間賞を受賞。

2010年、未来賞を受賞。

2013年、未来評論・エッセイ賞を受賞。

ダスビダーニャ

二〇二一年八月十八日　第一刷発行

著　者――西巻　真

〒二二二―〇〇三六 神奈川県横浜市港北区小机町２４５６
ハウス安達１Ｆ

発行者――市原賤香

監　修――加藤治郎

装　画――西巻真実

装　幀――花山周子

印刷所――ニシダ印刷製本

発行所――明眸社

〒一八四―〇〇〇二 東京都小金井市梶野町一―四―四

電話　〇四二二―五五―四七六七

http://meibousha.com